LA NATURE EN
101
QUESTIONS

Alain Grée et Luis Camps

LES ANIMAUX
INSOLITES

Imprimé en Belgique par Casterman, s.a., Tournai. Dépôt légal: mars 1989.
D. 1989/0053/36. Déposé au Ministère de la Justice, Paris
(loi n° 49.956 du 16 juillet 1949 sur les publications destinées à la jeunesse).

casterman

1 De la larve au hanneton

Maman Hanneton enfouit ses œufs dans le sol. Un mois plus tard, chaque œuf donne naissance à une larve (on dirait un ver blanc). Après trois ans de vie souterraine, la larve se couvre d'une enveloppe dure : elle devient nymphe. Au début du printemps, la nymphe se transforme enfin en insecte adulte : voici le hanneton !

2 De la chenille au papillon

Maman Papillon pose ses œufs à l'abri d'une plante basse. Quelques semaines plus tard, chaque œuf donne naissance à une petite chenille. La chenille vit plusieurs mois sous cette forme. Bientôt, comme la larve de hanneton, elle va se transformer en nymphe, puis en papillon.

3 Du têtard à la grenouille

Au printemps, Maman Grenouille pond ses œufs au fond d'une mare ou d'un étang. Un têtard sans pattes jaillit bientôt de l'œuf. Trois mois se passent. Des pattes apparaissent peu à peu, tandis que la queue se raccourcit. Coucou ! Le têtard s'est maintenant transformé en grenouille adulte. Crôa, crôa… Et si on chantait avec elle ?

hanneton

papillon

grenouille

nymphe

nymphe

têtard de 3 mois

larve

chenille

têtard de 5 jours

œufs

œufs

œuf

6

COMMENT CERTAINS ANIMAUX SE METAMORPHOSENT-ILS?

Les chats, les chiens ou les lapins
naissent avec deux oreilles et quatre pattes.
D'abord à peine plus gros qu'une pomme,
ces nourrissons grandissent au fil des mois;
une fois adultes, leur forme est restée la même.
Mais tous les animaux ne viennent pas au
monde avec l'aspect que nous leur connaissons.
Qui pourrait imaginer que cette vilaine chenille
se transformera un jour en superbe papillon?
Ou que le têtard pataud deviendra plus tard

une grenouille toujours prête à sautiller?
Les malices de la nature sont innombrables,
et on peut chaque jour en découvrir.
Il suffit de se rendre au jardin, dans la forêt
ou au bord d'un étang, et d'ouvrir les yeux.
Ici, c'est une larve qui devient hanneton;
là, un bourgeon qui éclate en libérant
un bouquet de feuilles encore toutes fripées.
Le spectacle est permanent, et la nature
ne se trouve jamais à court d'idées!

COMMENT LES ABEILLES
FONT-ELLES LE MIEL?

C'est bon, les gâteaux au miel.
S'ils s'écoutaient, Nat et Nathalie
en dégusteraient tous les jours au goûter !
« La maîtresse nous a expliqué que le miel
est produit par les abeilles », dit Nathalie.
Ces insectes sont même d'étonnantes pâtissières.
Elles aspirent le liquide sucré caché au centre
des fleurs (le nectar), qu'elles mélangent
à leur salive pour former une pâte parfumée.
Et voilà fabriqué le miel que nous aimons tant !
De retour à la ruche, les petites ouvrières
déposent leur précieuse récolte dans les rayons
de cire construits par les abeilles maçonnes.
Une partie de ce miel servira à alimenter
les nourrissons (on les appelle des larves).
Le reste sera conservé pour le prochain hiver.
Car dans la ruche, rien n'est jamais perdu !
Bon travail, amies abeilles. Nous penserons
à vous en croquant des bonbons au miel...

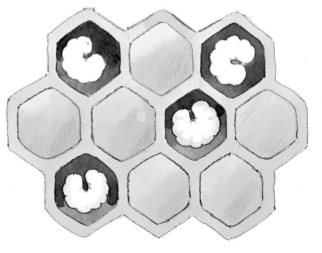

Bon appétit, les nourrissons !
Grâce au miel produit par les abeilles,
les larves auront de quoi s'alimenter
pendant l'interminable saison d'hiver.
Regardez les rayons de la ruche :
certains abritent les jeunes larves,
d'autres contiennent les réserves de miel
fabriquées en été avec le nectar des fleurs.
Encore quelques semaines, et les larves
deviendront des abeilles-adultes qui,
à leur tour, iront butiner les plantes
pour nourrir les futurs nouveau-nés...

9

VITESSE LA PLUS RAPIDE ATTEINTE PAR QUELQUES ANIMAUX

L'ESCARGOT
50 mètres à l'heure

LA TORTUE
250 mètres à l'heure

LA PIEUVRE
6 kilomètres à l'heure

LA CARPE
12 kilomètres à l'heure

L'ALOUETTE
35 kilomètres à l'heure

LE LAPIN
35 kilomètres à l'heure

LE CORBEAU
35 kilomètres à l'heure

L'ÉLÉPHANT
40 kilomètres à l'heure

L'AUTRUCHE
50 kilomètres à l'heure

LA GIRAFE
55 kilomètres à l'heure

LE ZÈBRE
65 kilomètres à l'heure

LE COYOTE
65 kilomètres à l'heure

LA GAZELLE
80 kilomètres à l'heure

LE LION
85 kilomètres à l'heure

LE CHEVREUIL
95 kilomètres à l'heure

LE GUÉPARD
100 kilomètres à l'heure

QUEL EST L'ANIMAL LE PLUS RAPIDE?

Les animaux ne se déplacent pas tous à la même vitesse. Certains, comme le boa, avancent aussi lentement qu'une tortue en promenade. D'autres au contraire courent parfois si vite qu'ils pourraient dépasser une voiture de sport. Les plus gros ne sont pas toujours les plus rapides : le lièvre fait jeu égal avec un cheval au galop, et la libellule laisse le zèbre loin derrière elle ! Comment calcule-t-on la vitesse d'un animal ?

10

LE CROCODILE
5 kilomètres à l'heure

LE COCHON
20 kilomètres à l'heure

LE MOUTON
25 kilomètres à l'heure

LE CHIEN
30 kilomètres à l'heure

L'OTARIE
0 kilomètres à l'heure

LE RHINOCÉROS
45 kilomètres à l'heure

LE KANGOUROU
45 kilomètres à l'heure

LA BALEINE
50 kilomètres à l'heure

LE CHEVAL
0 kilomètres à l'heure

LE LIÈVRE
70 kilomètres à l'heure

LE CERF
75 kilomètres à l'heure

LA LIBELLULE
80 kilomètres   à l'heure

350 km/h
en piqué

FAUCON PÈLERIN
80 kilomètres à l'heure

LE VAUTOUR
150 kilomètres à l'heure

L'AIGLE
160 kilomètres à l'heure

LE MARTINET
170 kilomètres à l'heure

On mesure la distance qu'il parcourt en une heure;
s'il franchit un kilomètre, sa vitesse est de
1 kilomètre à l'heure. Si, pendant le même temps,
un autre parcourt 100 kilomètres, il se déplace à
100 kilomètres à l'heure (on écrit 100 km/h).
Dimanche, s'il fait beau, faites une expérience :
marchez pendant une heure le long d'une route.
En comptant les bornes kilométriques dépassées,
vous connaîtrez votre vitesse moyenne !

11

L'animal le plus grand
est la girafe. Sa hauteur
peut dépasser 6 mètres
(c'est à dire le toit d'une
maison de deux étages).

Le chien le plus rapide
est le lévrier. Ce champion
parvient à atteindre la vitesse de
60 kilomètres à l'heure (supérieure
à un cheval de course au galop).

L'oiseau le plus grand
est l'autruche. Sa tête peut
se percher à une hauteur de
2,70 mètres (le toit d'un autobus).
L'autruche vit en Afrique, mais
cet oiseau… ne vole pas !

L'animal le plus lourd
est la baleine bleue.
Elle peut mesurer 33 mètres
de long et peser 180 tonnes
(le poids d'un Airbus).

L'animal le plus rapide
est le faucon pélerin. Cet oiseau,
qui se déplace en vol horizontal à 130 km/h
atteint la vitesse prodigieuse de 350 km/h
quand il descend en piqué vers le sol
(plus vite qu'un avion à réaction
en début d'atterrissage).

QUI BAT
DES RECORDS?

Nat et Nathalie ont appris à la télévision qu'à Chamonix,
un moniteur vient de battre le record du monde de vitesse à ski.
« Ce doit être extraordinaire, dit le garçon, de pouvoir dépasser
n'importe quel adversaire à la course à pieds ou à bicyclette… »
« Ou d'avoir la taille la plus haute ! » ajoute Nathalie en riant.
Nos amis ont raison : tous les hommes rêvent de devenir champions.
Pour être le plus rapide, le plus fort ou, pourquoi pas ? le plus grand.
Rien n'est plus naturel, et les animaux aussi détiennent des records.
Certains sont étonnants ! Comme cette girafe, qui voit par-dessus
les maisons sans même se hisser sur la pointe de ses sabots…

L'oiseau le plus petit
est l'oiseau-mouche. Il mes…
6 centimètres du bec à la q…
(comme un capuchon de st…
et pèse moins de 2 gramm…
(le poids d'une envelopp…

L'oiseau le plus rapide
en vol horizontal est le martinet
(son nom exact: martinet épineux).
Il peut voler à une vitesse de
170 kilomètres à l'heure (soit la
vitesse de pointe atteinte par
des automobiles puissantes).

Le chien le plus gros
est le Saint-Bernard. Il peut
mesurer 1 mètre de hauteur
aux épaules et peser 140 kilos
(ce qui fait 10 fois le poids
d'un chien de taille moyenne).

Le chien sautant le plus haut
est le berger allemand. Record à
battre : un mur lisse d'une
hauteur de 3,50 mètres (le toit
d'un wagon de chemin de fer).

Les plumes les plus longues
se trouvent sur les coqs du Japon.
Leur longueur dépasse 10 mètres
(soit celle d'un semi-remorque).

L'oiseau volant le plus haut
est le cygne. Voyageant en groupe,
ce phénomène s'élève à 8.000 mètres
(altitude des avions de ligne).

L'oiseau le plus vieux
est le cacatoès, qui peut vivre
jusqu'à l'âge respectable de 80 ans
(c'est à dire 6 ou 7 fois plus que
la plupart des chiens).

Le poisson le plus grand
est le requin-baleine. Sa taille
atteind couramment 18 mètres
(soit 6 planches à voile placées
bout à bout), et son poids
plus de 40 tonnes (soit 40 fois
celui d'une voiture moyenne).

L'éphémère vit un jour

Le papillon vit 2 mois

La puce vit 2 mois

La mouche vit 4 mo

Le grillon vit 1 an

La souris vit 1 an

Le lièvre vit 8 ans

Le lapin vit 8 ans

Le rossignol vit 12 ans

Le chat vit 15 ans

Le moineau vit 15 ans

La grenouille vit 15 a

Le bœuf vit 25 ans

Le cheval vit 25 ans

L'aigle vit 30 ans

La cigogne vit 35 a

Le lion vit 50 ans

L'ours vit 50 ans

Le corbeau vit 80 ans

Le brochet vit 100 a

14

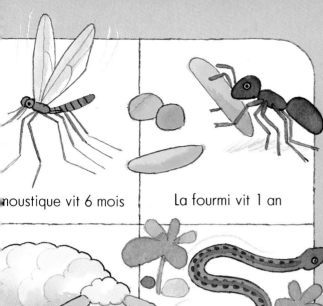

moustique vit 6 mois

La fourmi vit 1 an

mouton vit 9 ans

La vipère vit 10 ans

chien vit 15 ans

Le serin vit 17 ans

chameau vit 40 ans

Le héron vit 50 ans

tortue vit 100 ans

Le perroquet : 100 ans

QUI VIT LE PLUS LONGTEMPS?

La nature n'a pas fini de nous étonner !
Savez-vous par exemple qu'à l'âge de dix ans
un éléphant ressemble encore à un grand bébé,
alors qu'à deux mois un papillon est un vieillard ?
Le loup devient adulte à deux ans, tandis que
le moustique, après six mois d'existence, n'aura
plus la force de nous piquer tant il sera vieux !
Les animaux vivent donc plus ou moins longtemps.
On notera deux records : ceux de l'éphémère,
qui ne passe qu'une seule journée dans ce monde,
et de l'éléphant, qui attendra patiemment
200 ans avant de disparaître. Je vous l'ai dit :
la nature nous réserve bien des surprises...

L'éléphant détient le record
de la plus longue vie : 200 ans ! Qui dit mieux ?

COMMENT VIT LE CASTOR ?

Si un jour vous avez la chance de découvrir au milieu de la rivière un amas de branchages en forme de hutte, n'y touchez surtout pas ! C'est peut-être le toit d'une cabane construite par un groupe de castors. Ces animaux deviennent rares, mais certaines régions sauvages abritent encore quelques familles. Travailleurs infatigables, les castors coupent des arbres, taillent le bois. Ils bâtissent plusieurs huttes à l'écart de la rive, et les relient entre elles en creusant des tunnels sous-marins. Les castors y vivront en famille durant tout l'hiver à l'abri des visiteurs. Alors, petits amis, faites comme Nat et Nathalie : si un jour vous apercevez l'un de ces petits logis de bois, passez tranquillement votre chemin !

16

branchages

cheminée

aliments

hutte

tunnel

Les castors construisent d'abord
une plate-forme sous-marine
avec de la terre et des cailloux.
Ils bâtissent ensuite une hutte
en branches, munie d'une cheminée
d'aération. Plusieurs tunnels leur
permettront d'atteindre l'intérieur
à la nage. Si bien protégée au milieu
de la rivière, la famille castor
peut passer tranquillement l'hiver !

17

COMMENT LES ANIMAUX HIBERNENT-ILS?

L'ours passe l'hiver dans une caverne ou à l'intérieur de vieux arbres.

La marmotte dort en famille, blottie au fond du terrier qu'elle a creusé.

Le loir se fabrique un nid avec des branches, dans lequel il s'endormira.

Le hérisson se roule en boule dans un tas de ou dans un nid de paille

Le lézard se dissimule sous un tronc d'arbre abattu ou dans une fissure de roche.

La carpe s'enterre dans la vase ou se laisse emprisonner par la glace.

La tortue rentre dans sa carapace et s'enfouit sous la vase d'un marécage.

L'escargot s'enfouit sou terre en fermant sa coq avec une membrane éta

pauds et grenouilles lottissent sous la vase de cours d'eau préféré.

La couleuvre se roule dans un amas de branchages ou sous un tas de bûches.

abeilles s'enferment leur ruche, sans sortir dant tout l'hiver.

Le crabe s'enfouit sous la vase dans un recoin calme du bord de mer.

Le soleil est moins haut sur l'horizon, la température s'abaisse, le ciel se couvre : c'est bientôt l'hiver. Pour beaucoup d'animaux, la saison froide est une période de repos. Certains entrent même dans un profond sommeil dès l'automne pour ne s'éveiller qu'au printemps. On dit que ces animaux hibernent, qu'ils sont en hibernation. En été, chacun d'eux a accumulé une importante réserve de graisse ; elle nourrira son corps pendant cet état d'engourdissement. A l'exception de la chauve-souris, qui passe l'hiver suspendue la tête en bas dans un grenier, les animaux hibernants dorment roulés en boule. Ils se terrent dans le sol, sous une roche, au fond d'une fissure ou dans un tas de bois. Leur cœur bat moins vite, la température de leur corps est moitié moins élevée, leur respiration devient presque inexistante. Rien ne peut les arracher de leur sommeil. Mais montrez-vous patients : dès les premiers beaux jours de mars, tout ce petit monde sortira de sa cachette pour courir comme avant !

Certains animaux passent l'hiver dans un demi-sommeil, se réveillant de temps à autre pour grignoter les provisions amassées en été. C'est le cas des écureuils.

Le pigeon
porte des messages
à l'autre bout du
monde, avant de
revenir docilement
sur son perchoir.

Le chien de garde
protège la maison
de ses maîtres
contre la venue
des cambrioleurs.

La vache et la chèvre,
fournissent du lait.
Et avec le lait,
que peut-on faire ?
De bons fromages !

Le mouton offre
sa fourrure au fermier.
Tondue et travaillée,
elle deviendra une laine
douce prête pour le tricot.

Le chien de berger
conduit le troupeau
et rassemble
les bêtes égarées.

L'abeille
produit le miel
que l'on déguste
sur les tartines
à l'heure du goûter.

La poule
pond des œufs.
Et avec les œufs,
Nathalie fait des
omelettes et mille
plats délicieux.

Le chat surveille
la cave et le grenier.
Une souris montre
son museau ? Voilà
notre gardien qui
bondit à sa poursuite !

20

QUI EST NOTRE MEILLEUR AMI?

«Ces petits gâteaux au miel
sont délicieux !» s'écrie Nathalie.
«Et ce fromage, absolument divin !
réplique son frère. Il faudra féliciter
l'épicier quand nous retournerons en ville.»
Nos amis devraient aussi penser à remercier
l'abeille et la vache qui ont produit
ces précieuses denrées. Car sans eux,
le miel, le lait, le beurre, le fromage
ou les yaourts n'existeraient pas.
Certains animaux nous rendent ainsi de
grands services dans notre vie quotidienne.
En nous fournissant des produits utiles
(comme la laine, la soie ou les œufs),
et en nous apportant directement leur aide
(comme les chevaux ou les chiens de berger).
Saviez-vous que vous aviez autant d'amis ?

Le chien d'aveugle
sert de guide aux
personnes privées
de la vue.

Le cheval
porte son cavalier
et obéit à ses ordres.
Pour trotter, galoper
ou sauter une haie.

Le ver à soie
tisse un fil léger
autour de son cocon.
Déroulé avec soin,
il sert à fabriquer
le plus fin des
tissus : la soie.

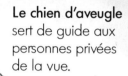

Le crapaud
veille à sa façon
sur notre sommeil
en détruisant les
moustiques.

Le hérisson est
un excellent gardien :
il chasse les petits
animaux nuisibles
de nos jardins.

POURQUOI LES ANIMAUX SAUVAGES ENVAHISSENT-ILS LES VILLES?

Depuis quelques années,
certaines bêtes sauvages ont quitté
les bois, les étangs et les campagnes pour
venir s'installer dans les grandes cités.
« C'est curieux, s'étonne naïvement Nathalie,
je n'en ai jamais croisées dans la rue… »
En fait, cela ne risque pas d'arriver :
terrés dans les égouts, blottis au fond des
jardins ou sous les barraques de chantier,
ces animaux vivent à l'abri des regards.
Pourquoi ont-ils élu domicile dans nos villes ?
Principalement pour échapper aux griffes de
leurs ennemis les aigles et les vautours.
Et aussi parce que les poubelles regorgent
de nourriture. Même en plein hiver !

Dans les égouts et les caves

La belette sort seulement la nuit pour chasser les souris et les rats.

Le ragondin, évadé des élevages, se nourrit de détritus et de racines.

Le rat est connu pour son intelligence : il déjoue les pièges tendus par les hommes, et cause d'importants dégats en grignotant les fils du téléphone. Le saviez-vous ? Il y a 8 millions de rats à Paris, soit deux par habitant !

Dans les squares et les jardins

Le hérisson se cache dans les parcs. Prudent, il pourchasse les insectes lorsque tout le monde est endormi.

L'écureuil se réfugie en ville pour fuir ses féroces ennemis les martres et les faucons.

La taupe échappe de son côté aux redoutables becs des cigognes et des hérons en s'abritant dans les jardins publics.

Le blaireau y chasse les petits rongeurs et les vers de terre, en évitant de sortir durant le jour.

La chauve-souris vit sous les ponts. Au menu de ses repas : les moustiques du fleuve.

Le grillon envahit peu à peu les squares. On a même découvert une famille complète (tenez-vous bien)… dans le métro !

Dans les greniers et les débarras.

La chouette hulotte se dissimule dans les greniers abandonnés.

Le rouge-queue niche habituellement dans les falaises. En ville, il bâtit son nid sur la façade des immeubles.

L'hirondelle des fenêtres préfère loger sa famille derrière les sculptures des monuments publics.

Le campagnol est de caractère chapardeur : il s'installe dans les réserves des magasins. Et bon appétit !

Le scorpion aussi a fui la campagne pour s'établir dans les vieilles demeures. Attention : sa piqûre est mortelle !

Dans les poubelles et les chantiers

La fouine creuse son terrier sous les abris de jardin. Gourmande, elle pille les poubelles et dévore les moineaux.

Le renard se cache dans les décharges publiques, chassant les petits rongeurs pendant la nuit.

Le goéland argenté a élu domicile dans les dépôts d'ordures, où il fait chaque soir un festin de roi !

23

PRENEZ-EN DE LA GRAINE!

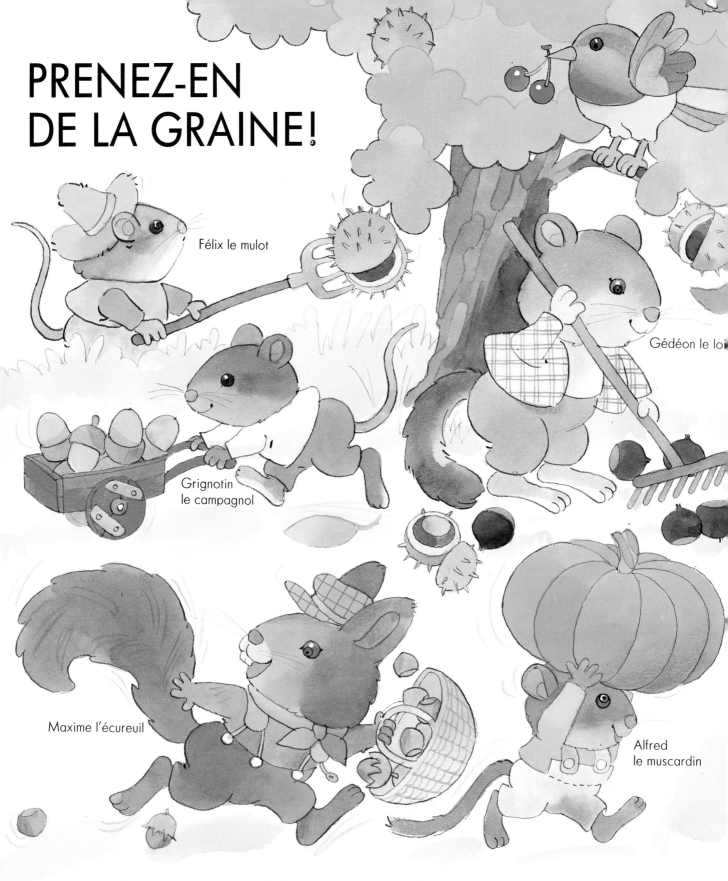

Félix le mulot

Gédéon le loi

Grignotin le campagnol

Maxime l'écureuil

Alfred le muscardin

Les petits animaux de la forêt sont en plein travail : ils ramassent des fruits pour l'hiver.

Mais en comparant le dessin avec le texte que vous allez lire, vous remarquerez dix différences importantes. A vous de les découvrir !

« Maxime l'écureuil porte un chapeau melon sur la tête et un collier autour du cou. Gédéon le loir ratisse des fraises avec un rateau rouge. Quel effort pour le campagnol Grignotin : il tire une carriole remplie de belles poires. Alfred le muscardin transporte sous son bras trois énormes citrouilles bleues. Quant à leur ami Félix le mulot, il cueille tranquillement des marrons avec sa pioche. »

Texte corrigé : « *Maxime l'écureuil porte une casquette (1) sur la tête et un foulard (2) autour du cou. Gédéon le loir ratisse des châtaignes (3) avec un rateau bleu (4). Quel effort pour le campagnol Grignotin : il pousse (5) une carriole remplie de beaux glands (6). Alfred le muscardin transporte sur sa tête (7) une (8) énorme citrouille orange (9). Quant à Félix le mulot, il cueille des marrons avec sa fourche (10).* »

24